UN GRIMOIRE POUR MERLIN

www.editions.flammarion.com

Conception graphique et mise en page : studio du Père Castor et Marie Pécastaing.

87, quai Panhard et Levassor - 75647 Paris cedex 13
Dépôt légal : septembre 2009 – Imprimé en France par IME.
N° d'édition : L.01EJEN000298.A002 – ISBN : 978-2-0812-2470-4
Loi n°49-956 du 16 juillet 1949 sur les publications destinées à la jeunesse.

MARC CANTIN

ILLUSTRATIONS DE STAN & VINCE

UN GRIMOIRE POUR MERLIN

CHAPITRE 1

UNE OCCASION RÊVÉE

Le jeune enchanteur s'arrête au milieu du couloir, une jambe en l'air.

– Mais maman, j'allais sortir, proteste-t-il. Je dois rejoindre Viviane et les copains !

Madame Camelot pose un regard noir sur son fils. Elle est très forte pour ça.

– D'accord, cède Merlin, j'y vais.

Papa ! c'est moi !

Sa mère esquisse un sourire satisfait.

– Préviens-le qu'un client l'attend, ajoute-t-elle. Ça semble urgent !

Elle disparaît derrière la porte qui donne accès à l'échoppe familiale installée au rez-de-chaussée de la maison. La boutique Bazarus Bizarus est célèbre dans toute la région pour ses potions et sorts en tous genres. Merlin, lui, emprunte les escaliers qui conduisent à la cave. C'est là que son père travaille. Il y passe même souvent la nuit, absorbé par ses expériences. Merlin descend prudemment les marches en pierre. Il s'arrête devant la porte garnie d'imposantes ferrures, une porte capable de rire au nez du meilleur serrurier.

Toc ! Toc ! Toc !

– Je ne suis pas là ! répond une voix bougonne.

– Papa ! C'est moi.

Après quelques ronchonnements d'usage, Monsieur Camelot se rapproche de la porte en traînant les pieds. Un bruit de serrures, de verrous

et de loquets résonne aux oreilles de Merlin, et son père apparaît enfin. Comme tout enchanteur, il possède une longue barbe blanche sur laquelle il marche parfois. Et comme tout enchanteur, il est très étourdi.

– Papa, un client te demande. Maman dit que c'est urgent.

– Le mage Hellan ! s'exclame Monsieur Camelot en se frappant le front. Il m'a commandé toutes sortes de sorts, et il vient de très loin pour les chercher !

Il se précipite à l'intérieur de son atelier, au milieu des alambics, des étuis à parchemin, des flasques, des fioles, des creusets, des pilons, des allumes-feu, des pierres à tonnerre, des poudres multicolores... autant de choses que Merlin dévore des yeux. Si son père acceptait de le prendre comme apprenti, il deviendrait vite un grand enchanteur. Au lieu de ça, il doit aller à l'école ! Et il n'a pas le droit de mettre un doigt de pied dans l'atelier !

– Où ai-je posé ce petit grimoire ? s'énerve son père. Ah, le voici. Je dois aussi prendre cette poudre, et celle-ci, et cette potion de guérison, et le talisman, et les formules contre les retours de sorts, et cet anneau de mana…

Monsieur Camelot ressort de son atelier les bras chargés et marmonne au passage :

– Tour de clé et porte-clé, portus closus, fermus et motus… Zaracourdoublôtour !

La porte claque, accompagnée de bruits de serrures, de verrous et de loquets.

– Naargniagneungeu ! reprend Monsieur Camelot.

Cette fois, il ne s'agit pas d'une formule : l'extrémité de sa barbe est restée dans l'atelier !

Il vocifère en envoyant des coups de pied dans la porte. Celle-ci se déverrouille et s'entrouvre un instant pour

libérer les interminables poils blancs. L'enchanteur lâche encore quelques jurons et s'engage dans l'escalier de méchante humeur. Merlin s'apprête à le suivre mais son pied heurte quelque chose. Il baisse les yeux et découvre un petit livre ! Son père vient certainement de le laisser tomber. Merlin le ramasse et songe bien sûr à le lui rendre. Il ouvre la bouche pour prévenir son père... mais aucun son n'en sort.

Et ses doigts, bien malgré lui, se glissent sous la couverture ornée de signes étranges.

Monsieur Camelot est arrivé en haut de l'escalier.

– Jamais tranquille, se plaint-il. Des clients pressés, des sorts de plus en plus compliqués... Ce n'est pas une vie !

Il disparaît pour rejoindre le magasin. Merlin se retrouve seul et il tourne les premières pages du livre.

– Des formules ! chuchote-t-il.

Il les dévore des yeux. Il suffit de les prononcer correctement, et le tour est joué.

Un sourire illumine le visage de Merlin : cette fois, les autres vont voir de quoi il est capable. À commencer par sa cousine Viviane !

CHAPITRE 2

MERLIN SE FÂCHE

Quand un objet lourd tombe de très haut, il émet un sifflement caractéristique qui s'accentue au fur et à mesure de sa chute. Lancelot a juste le temps de lever les yeux et de bondir sur le côté. Une pierre lui rase la tête avant de s'écraser par terre ! Un bout de parchemin y est accroché.

– Un message de ma mère ! se réjouit Viviane.

– Elle pourrait utiliser des moyens de communication moins dangereux ! proteste le jeune chevalier.

– Elle pourrait surtout mieux viser, précise Arthur avec un sourire.

– Hé ! Tu me cherches ? s'emporte Lancelot.

Viviane, elle, se dépêche de détacher le message :

« Ma chérie. Je risque d'être un peu retardée. J'ai quelques difficultés avec un dragon noir qui s'est mis en tête de réduire en cendre le château d'un ami. Je règle son compte à cette affreuse créature et j'arrive. Ta maman qui t'adore. »

– Elle va venir ? demande Guenièvre.

– Elle sera un peu en retard, indique Viviane.

– Pour une fois qu'elle te rend visite, elle pourrait être à l'heure, marmonne Lancelot.

– Ma mère est une fée très occupée, lui rappelle fièrement Viviane. Et elle sait que je me plais beaucoup chez les parents de Merlin. En plus, ce matin, elle m'a envoyé un cadeau. Regarde cette nouvelle baguette !

– C'est du toc, soupire Lancelot, comme mon épée.

Il pose son épée en bois sur la pierre ronde autour de laquelle les enfants se réunissent en cachette.

– Ne t'en fais pas, Lancelot, le rassure Guenièvre en battant des cils. Un jour, ton père t'en forgera une en métal et tu deviendras mon... heu... un héros !

– Merci, tu es gentille, rougit le jeune chevalier.

– Pas autant que toi, murmure Guenièvre.

– Ça va ! intervient Arthur. Arrête de le coller !

Il attrape sa sœur par le bras et la ramène vers lui.

– Oh là là ! T'es pas marrant ! râle Guenièvre.

– Non, je n'ai pas envie de rire ! s'énerve Arthur en redressant sa petite couronne. Et j'en ai assez d'attendre Merlin !

Viviane se lève et passe la tête entre les feuillages qui entourent la pierre ronde.

– C'est bizarre, murmure-t-elle. Il devait partir juste après moi.

Elle scrute les rues du village de Brocéliande où quelques poules s'affolent au passage d'une charrette chargée de tonneaux. Le tintement d'un marteau sur une enclume s'échappe de la forge du père de Lancelot. Un druide salue le rémouleur à qui il apporte sa faucille à aiguiser.

Soudain, une petite silhouette pointue apparaît au coin de la taverne. D'une main, Merlin maintient son chapeau sur sa tête, de l'autre, il soulève sa robe pour ne pas se prendre les pieds dedans ! Il traverse la rue au pas de course, effraye une nouvelle fois les poules et transperce la haie derrière laquelle se cachent ses amis et sa cousine.

À bout de souffle, il s'effondre sur la pierre ronde.

– Euuuuaaaaah !

– Qu'est-ce que tu dis ? lui demande Viviane.

– Euuuuaaaaah ! répète-t-il en essayant de reprendre sa respiration.

– Inutile de nous raconter des histoires, intervient Arthur. Tu es en retard et tu n'as aucune excuse !

– Euuuusiiii ! parvient à prononcer Merlin.

La poitrine encore pantelante, il sort de dessous sa robe le livre qu'il a récupéré.

– Où as-tu trouvé ça ? s'étonne Viviane en avançant la main.

– Pas touche ! prévient Merlin. C'est le mien !

– Un vrai grimoire ! s'exclame Arthur.

Merlin affiche un large sourire.

– Évidemment ! Ce n'est pas un jouet comme ta couronne.

Arthur se renfrogne et rajuste sa petite couronne.

– Si c'est un grimoire, rétorque-t-il, tu vas pouvoir nous faire une démonstration.

Merlin caresse la couverture du livre.

– Avec plaisir, murmure-t-il.

– Je ne crois pas que ce soit une bonne idée, signale Viviane.

– Au contraire, reprend son cousin.

Il ouvre le grimoire et parcourt les pages avec des yeux pétillants.

– J'ai vu quelque chose qui devrait te plaire, annonce-t-il en se tournant vers Lancelot. Un sort pour enchanter ton épée et la rendre invincible.

– Ouah ! Vas-y ! s'enthousiasme le jeune chevalier.

Merlin pose son index sur une page du grimoire.

– C'est ici, dit-il. « Enchantement d'épée, niveau 1 ».

– Merlin ! intervient Viviane. Tu sais très bien qu'un sort mal prononcé peut avoir des effets imprévus !

– Et alors ? s'offusque son cousin en haussant un sourcil étonné. Je sais lire !

– Mais...

– Silence ! ordonne Merlin. Je sens le pouvoir m'envahir ! Rien ne peut résister aux forces de la magie !

– Ça ne marchera pas, prédit Arthur.

– Je vais avoir une vraie épée ! se réjouit déjà Lancelot.

– Pour un garçon qui s'habille avec une robe, chuchote Guenièvre, il est assez impressionnant.

Merlin tend la main vers l'épée posée sur la pierre et commence à lire :

– Épée épique et picouillages… Enchantoum lamus… euh… affutéru… iumus… Pique… Euh… Piquépiquératatatam, et voilà !

– C'est vraiment ce qui est marqué ? doute Viviane.

Son cousin n'a pas le temps de lui répondre. L'épée s'agite. Elle se soulève de quelques centimètres et flotte au-dessus de la table en diffusant une lueur argentée.

– Mon épée ! s'écrie Lancelot, fou de joie.

Impatient, il la saisit… dès que ses doigts se referment sur le pommeau, son bras décrit un mouvement inattendu :

– Aïe ! hurle-t-il. Ouille !

Sous les yeux effarés de ses amis, le jeune chevalier se frappe la tête avec l'épée en bois ! Il crie encore une ou deux fois avant de s'écrouler dans les feuillages qui entourent la cachette.

L'épée quitte alors sa main et se range docilement à sa ceinture.

– Le pauvre ! s'écrie Guenièvre en se précipitant au chevet de Lancelot.

– Bravo, Merlin, lance sévèrement Arthur. Très impressionnant !

– J… Je suis désolé, bafouille le jeune enchanteur.

Lancelot se redresse en grimaçant : trois bosses pointent en haut de son crâne.

– Je vais arranger ça, assure Merlin en reprenant le grimoire. J'ai vu un sort de soin, un peu plus loin.

– Non ! s'écrie Lancelot. Plus de sorts ! Je n'ai pas envie de récolter des nouvelles bosses !

– C'est vrai, renchérit Guenièvre, tu es le pire des enchanteurs, Merlin !

– Rapporte ce grimoire où tu l'as trouvé, ajoute Viviane.

– Attendez ! proteste Merlin. Il faut juste que je m'entraîne et…

– On est ici pour s'amuser, le coupe Arthur, pas pour se faire assommer ! Tu vas nous attirer des ennuis avec ce grimoire. Rapporte-le ou tu ne fais plus partie de la bande.

– Hé ! c'est pas toi qui commandes ! réplique Merlin.

– Je suis d'accord avec Arthur, intervient Lancelot.

– Moi aussi, approuve Guenièvre.

Viviane regarde son cousin avec un air triste.

– Ils ont raison, lâche-t-elle.

– V… Vous… bégaye Merlin. Vous ne comprenez rien !

Les joues empourprées et les yeux embués, il saisit le grimoire et quitte la cachette.

CHAPITRE 3

UNE RENCONTRE INATTENDUE

Kwaa
Kuiii
Humfr

Vexé, le jeune enchanteur s'éloigne du village de Brocéliande. Il suit quelques instants le chemin principal, puis il emprunte un sentier qui s'enfonce dans la forêt.

Celle-ci est connue pour abriter des choses curieuses, des grottes où dorment des dragons, des marais qui attendent patiemment de vous engloutir ou des arbres qui se fâchent quand vous butez contre leurs racines. Mais Merlin connaît un endroit tranquille, pas très loin, où il pourra essayer quelques sorts sans être dérangé.

Il s'avance entre les feuillages épais jusqu'au moment où la végétation s'éclaircit. Les arbres laissent la place à une vingtaine de pierres dressées qui forment un large rectangle comme des convives pétrifiés autour d'une

table qui aurait disparu. Le jardin des Moines, c'est ainsi qu'on appelle ce lieu, est aussi le jardin secret de Merlin.

Il s'adosse à l'une des pierres, et tourne les pages du grimoire posé sur ses genoux.

Le temps est venu de poursuivre ses expériences.

– « Transmutation flatteuse, niveau 6 », lit-il. Ça doit être marrant.

Un joyeux gazouillis lui parvient aux oreilles. Un merle, perché sur la branche d'un arbre voisin, chante à tue-tête.

– Tu tombes à pic, se réjouit Merlin. Je vais te refaire le plumage !

Le jeune enchanteur tend une main autoritaire vers l'oiseau et prononce la formule :

– Palettes peinturlurées et bafouillages... Euh, barbouillages, charbonnus et... arc-en-ciel... cieloum... Cyanma... magenta... euh... etcetera !

Un nuage multicolore enveloppe l'oiseau. Merlin ouvre de grands yeux, convaincu qu'il a réussi... Mais quand le nuage se dissipe, une pâte rose a remplacé le merle. Elle tombe mollement de la branche et s'étale sur le sol : difficile de croire que cette crème à la fraise a un jour chanté et volé !

Dépité, Merlin pousse un long soupir. Il n'y arrivera jamais.

Une voix s'élève alors derrière lui :

Merlin pivote comme une statue sur son socle. Un homme petit et ventru s'approche. Il a la forme et la démarche d'un sac de pommes de terre. Son visage, tout aussi rond, s'éclaire d'un sourire bienveillant.

– Vraiment splendide ! répète l'homme. Quel talent !

– C'est-à-dire... commence Merlin. Ce n'est pas exactement...

– Si cet oiseau avait été un dragon, le coupe l'homme, il n'aurait pas eu plus de chance.

Il inspecte la purée rose avec un profond respect.

– Je suis ravi de rencontrer un grand enchanteur, reprend-il en s'inclinant devant Merlin. Je me nomme Krétin. Krétin de Troie.

– Ben... moi, c'est Merlin Camelot. Mon père est enchanteur, mais moi, je débute et...

– Et tu es modeste ! Ah ! Si seulement j'avais le quart de ton adresse !

– Vous aussi, vous...

Krétin l'arrête d'un geste de la main :

– Je mène des expériences sans prétention. Je dispose de deux ou trois poudres, de quelques creusets et alambics. J'essaye d'apprendre le métier.

– Vous avez un atelier ! s'extasie Merlin.

– En effet, mais les outils ne remplacent pas le talent. Si tu acceptais de m'aider, je serais certain de faire beaucoup de progrès.

Merlin bombe le torse. Un atelier. Son rêve !

– Vous me laisseriez utiliser votre matériel ? demande-t-il.

– Je serais ton élève, assure l'homme.

Merlin tapote son grimoire. Une occasion comme celle-ci, ça ne se loupe pas.

– J'habite tout près, reprend Krétin avec un sourire amical. Juste un peu plus loin dans la forêt.

– Je ne dois pas trop m'éloigner, prévient Merlin.

– Je te raccompagnerai ensuite, promet l'homme en repartant du jardin des Moines de sa démarche dodelinante.

CHAPITRE 4

DRÔLE DE MAISON

– Palettes peinturlurées et barbouillages, tente encore Merlin. Charbon… nus et arc-en-cieloum, cyan, magenta et tout ça !

Sur le bord du chemin, l'écorce d'un chêne se parsème de verrues bleues.

– Remarquable ! s'extasie Krétin.

– Il y a un peu de progrès, admet Merlin.

Il suit Krétin depuis un bon quart d'heure. Le sentier devient de plus en plus étroit, et il serpente entre des arbres rangés en dépit du bon sens. Merlin n'est pas rassuré :

– Votre maison est drôlement isolée.

– J'aime la tranquillité, répond Krétin en sifflotant joyeusement.

Des guirlandes de brouillard se glissent entre les troncs, donnant à la forêt un aspect lugubre.

– Ce n'est pas gai comme endroit, insiste Merlin d'une petite voix.

– C'est pour mieux éloigner les curieux, mon enfant, signale Krétin.

– B... Bien sûr, bafouille le jeune enchanteur.

Tout en poursuivant ses expériences, il continue d'avancer entre les arbres chargés de brume et, quelques instants plus tard, une maison apparaît. C'est un curieux manoir tarabiscoté qui trône au milieu d'une clairière minuscule. Une sombre colonne de fumée s'élève de la cheminée et le vent, sans doute, s'amuse à lui donner une forme de tête de mort.

– Si votre maison est bizarre, devine Merlin, c'est pour mieux se confondre avec le paysage ?

– Exactement, le félicite Krétin avec un drôle de sourire. Tu es vraiment intelligent.

Merlin sent des gouttes de sueur glisser le long de sa nuque. Son cerveau lui crie de filer au plus vite ! Arrivé devant la porte, il s'exclame :

– Oulàlà ! Comme le temps passe. Je vais devoir retourner au village.

Il espère que cela suffira à le sortir de ce mauvais pas... mais au fond de lui, il n'y croit pas vraiment.

– Entre ! ordonne Krétin sur un ton qui ne donne pas envie de le contrarier.

– D'accord, mais cinq minutes ! balbutie Merlin.

Il franchit le seuil et la porte claque dans son dos. Il s'avance timidement dans une large pièce. Sur une table, des cornues bouillonnent. Un chaudron patiente près de la cheminée où un feu de bois brûle salement. Sur des étagères, une collection de bizarreries flotte dans des bocaux, et, accrochés aux poutres noircies, de ravissants petits mammifères un peu raides finissent de sécher.

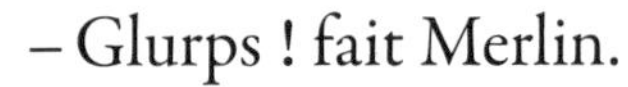

– Glurps ! fait Merlin.

Une forme inquiétante bouge à la limite de son champ de vision. Il repère un vieux chat noir au regard assassin. À côté de lui, un corbeau, perché sur un crâne, est secoué par un rire hoquetant.

– Sois le bienvenu dans mon manoir ! lance Krétin d'une voix détraquée.

Merlin devine qu'il n'a pas intérêt à se retourner mais il le fait pourtant. Krétin lui adresse alors un sourire déplaisant... et il disparaît dans un nuage de fumée ! Mais le pire est à venir... La fumée commence à se dissiper et, à la place du bonhomme rondouillard qui se tenait là, se dessine une silhouette haute et maigre habillée de noir. Merlin laisse son regard escalader ce corps

interminable et découvre le visage d'une femme qui n'inspire en rien la confiance. Ses petits yeux, agités et déments, encadrent son nez verruqueux, et le fixent avec une satisfaction évidente.

– L… La sorcière Morphage ! bafouille Merlin.

– Eh oui, dit-elle avec un sourire savamment calculé. Il ne faut pas se fier aux apparences.

Sa voix aussi a changé ! Si une vipère pouvait parler, elle aurait la même. Mais Merlin ne se laisse pas impressionner.

– Ça suffit ! lance-t-il en prenant un air indigné. Vous m'avez trompé ! Je ne resterai pas ici une seconde de plus !

Déjà, le chat noir et le corbeau rieur s'approchent de lui. Les griffes de l'un et le bec de l'autre luisent méchamment.

– Euh… c'était une façon de parler, assure Merlin en reculant.

Il cherche une issue, lorgne du côté d'une fenêtre entrouverte…

mais les deux bestioles continuent d'avancer avec une sinistre détermination. Le jeune enchanteur hésite entre deux solutions : appeler sa mère ou conserver un semblant de dignité. Il n'a pas encore fait son choix quand,

à force de reculer, il s'aperçoit qu'il vient d'entrer dans une cage ouverte. Morphage en referme immédiatement la porte, dans un éclat de rire et un claquement de verrou à vous glacer le sang !

CHAPITRE 5

LE MAGE SE FÂCHE

– On n'a pas été très sympa avec Merlin, regrette Viviane.

– Ce n'est pas toi qui as reçu des coups d'épée ! proteste Lancelot.

– Tu as seulement trois petites bosses, minimise Viviane.

– Lancelot est très sensible ! signale Guenièvre.

– Tu veux dire douillet ! intervient Arthur.

– Moi ? Douillet ! s'offusque le jeune chevalier. Vas-y ! Pince-moi ! Tu verras, je ne crierai pas !

– Ne me tente pas, le prévient Arthur.

Viviane lève les yeux au ciel. Il y a des jours, comme ça, où tout va de travers.

– Bon, puisque vous vous disputez, je rentre, déclare-t-elle. Et de toute façon, ma mère va bientôt arriver.

Personne ne lui répond. Lancelot relève sa manche et tend son bras à Arthur. Celui-ci ne résiste pas davantage. Il pince et tord un bon morceau de peau. Lancelot serre les dents en conservant un sourire crispé, pendant que Guenièvre l'encourage à ne pas hurler.

– Alors ? lance Arthur d'une voix mielleuse et sadique.

– M… Même pas mal, assure Lancelot.

– Et là ?

– Nnnnnon !

Viviane s'éloigne de la cachette pendant qu'un cri de douleur s'élève des buissons. Une claque retentit juste après. Sans doute Guenièvre n'a-t-elle pas supporté que son frère torture son amoureux.

Viviane traverse le village et retourne chez son oncle et sa tante.

Lorsqu'elle arrive devant l'échoppe des Camelot, de nouveaux cris attirent son attention. Elle longe la façade de la boutique et tend l'oreille :

– Que voulez-vous que je fasse de tout cela sans le grimoire ? tonne un client.

– Mille pardons, s'excuse le père de Merlin, j'étais certain de l'avoir. J'ai fouillé mon atelier en vain, cher mage !

– Monsieur Camelot ! s'emporte le client. J'en ai assez de vos étourderies !

– Mais…

– Je suis venu de très loin chercher ces sorts et je vous rappelle que je dois rentrer au plus vite pour sauver le royaume d'Avallon d'une invasion de gobelins.

– J… Je comprends, bafouille Monsieur Camelot, laissez-moi un peu de temps pour mettre la main sur ce grimoire, Monsieur Hellan, et…

– Vous avez une heure ! rugit le mage. Passé ce délai, je vous porte personnellement responsable de tous les méfaits des gobelins et je vous traîne en justice pour non-assistance à royaume en danger ! Vous pourriez être interdit de magie, Monsieur Camelot !

– V… Vous plaisantez ? bégaie le père de Merlin.

– J'en ai l'air ? demande Monsieur Hellan d'une voix qui laisse entendre qu'il serait malvenu de répondre par l'affirmative.

– Euh… Non, non, fait Monsieur Camelot.

– Je reviens dans une heure ! vocifère le mage en quittant l'échoppe. UNE HEURE !

Il passe à côté de Viviane sans même la voir. Celle-ci sent son cœur s'accélérer : elle doit absolument rapporter ce grimoire à son pauvre oncle.

– Et il faut évidemment que ce genre de problème arrive le jour où ma mère vient me voir.

Sans perdre une minute, elle s'éloigne de la boutique et retraverse le village au pas de course. Le marteau de Monsieur Escalibur tinte de plus belle sur son enclume quand Viviane rejoint ses amis dans leur cachette.

Ils en sont toujours au même point :

– Vas-y ! Écrase-moi le pied ! insiste Lancelot.

Arthur hésite, surveillant du coin de l'œil Guenièvre qui, elle aussi, l'observe, les bras croisés et le sourcil mauvais.

– Si tu cries, dit-il, ma sœur va encore me gifler.

– Je ne crierai pas, affirme Lancelot. Je ne suis pas douillet !

– Arrêtez vos idioties ! intervient Viviane. Il faut retrouver Merlin de toute urgence.

Elle rapporte à ses amis la conversation qu'elle vient d'entendre entre le mage et son oncle.

– Ma lame est à ton service, Viviane ! déclare Lancelot. Allons chercher ton cousin !

Et il sort son épée, oubliant que celle-ci est toujours enchantée. Elle échappe à son contrôle et s'écrase sur

sa tête. Une fois le jeune chevalier à terre, elle retourne dans son fourreau.

– Aïaïaiiie ! gémit Lancelot. Dès qu'on aura retrouvé Merlin, il a intérêt à annuler ce sort !

Pendant que Guenièvre l'aide à se relever, Arthur s'approche de Viviane :

– Tu as une idée de l'endroit où il a pu aller ? demande-t-il.

Viviane réfléchit un instant :

– Au jardin des Moines, confie-t-elle à ses amis. C'est généralement là qu'il boude !

CHAPITRE 6

GAGNER DU TEMPS...

Merlin tire en vain sur les barreaux de sa cage. Puis il décoche un coup de pied à la robuste serrure qui se donne un air supérieur. Le jeune enchanteur regrette aussitôt son geste. Quand Morphage réapparaît dans la pièce, il sautille dans sa cage en se tenant les orteils.

– N'abîme pas le matériel, conseille-t-elle à son prisonnier.

– Q… Qu'allez-vous me faire ? bafouille Merlin.

– Te mettre dans mon chaudron, tiens ! répond l'affreuse sorcière comme si c'était l'évidence même.

Merlin avale péniblement sa salive. Morphage est tristement célèbre dans toute la forêt de Brocéliande. Grâce à ses potions, elle se métamorphose en à peu près n'importe quoi, à condition d'avoir fait disparaître l'équivalent dans son chaudron.

– V… Vous voulez vous transformer en enchanteur ? devine Merlin.

– Tu es moins sot que tu en as l'air, le félicite-t-elle.

– Mais… à quoi cela vous servira-t-il ?

– À tromper ton père, bourricot ! Il n'est pas aussi naïf que toi, et grâce à cette potion, il me prendra pour un confrère et me livrera ses secrets !

– Je ne suis pas un enchanteur ! affirme Merlin. Je n'y connais rien !

– Bien sûr que tu es un enchanteur, corrige la sorcière en laissant courir un ongle sur les barreaux de la cage. Un mauvais enchanteur, mais un enchanteur tout de même.

Je n'ai pas l'occasion d'en capturer tous les jours, alors je vais devoir me contenter de toi. D'ailleurs, comme tu es petit, tu fondras plus vite dans mon bouillon !

Elle éclate d'un rire grinçant qui inciterait à lui verser de l'huile dans le fond de la gorge. Puis elle retourne près de son chaudron et ajoute quelques fagots au feu qui brûle en dessous.

Le corbeau, posé sur son crâne, et le chat, installé sur une chaise, observent leur maîtresse avec attention. Celle-ci commence à peser différents onguents, des poudres et des herbes sèches, avant de les jeter dans sa marmite. Un livre de sorcellerie, d'où elle semble tirer sa recette, est ouvert sur la table. Elle suit les lignes d'un index appliqué et remue ses lèvres en silence sous l'effort inhabituel de la lecture, avant d'agrémenter le bouillon de nouveaux ingrédients.

Merlin observe la scène, assis au milieu de la cage... « Moi aussi, songe-t-il, j'ai un livre qui pourrait m'être utile. » Il glisse une main sous sa robe et reprend discrètement le petit grimoire. Il tourne les pages et s'arrête sur un titre prometteur : « Affolages et amuses-fol, niveau 2. » Merlin renonce à s'attaquer directement

HAHA HA!!

à la sorcière. Elle est certainement capable de renvoyer des sorts de ce niveau. Non, il vaut mieux trouver une autre cible et essayer de gagner du temps.

– Le corbeau, murmure Merlin.

Il lève sa main vers l'emplumé et commence à susurrer la formule :

Le corbeau demeure immobile sur son crâne. Merlin vérifie la formule : pour une fois, il l'a presque bien prononcée !

– Croooââ ? lâche alors l'oiseau de malheur.

– Tais-toi ! lui ordonne Morphage sans se retourner.

La sorcière, penchée au-dessus de son chaudron, verse une poudre avec application. Le corbeau incline la tête à gauche, puis à droite.

– Croooâà ? répète-t-il en ouvrant de grands yeux.

Il déplie ses ailes, s'élève au-dessus du chat, et poursuit son vol vers la cheminée, dans une trajectoire qui le conduit droit vers les fesses de sa maîtresse. Il y enfonce ses serres avec l'air hébété de celui qui s'aperçoit qu'il ne commande plus son corps, et que ce dernier fait des choses qui vont à l'encontre du bon sens !

– AIIIIIE ! hurle Morphage.

Elle tourne son visage déformé par la colère vers le corbeau, prouvant qu'elle n'a pas toujours besoin d'une potion pour se métamorphoser. Sa main se referme sur le cou de l'oiseau qu'elle arrache de son popotin endolori.

– Par les cornes de Belzébul ! rugit la sorcière. Tu es complètement fou ?

Elle secoue le corbeau comme si elle attendait une réponse. Ce remue-méninges censé lui remettre les idées en place éparpille seulement ses plumes, et

Morphage, exaspérée, l'envoie valdinguer à l'autre bout de la pièce. Il semble prendre la direction de la fenêtre entrouverte, mais s'écrase finalement à côté, contre le mur. Il y reste collé un instant, et glisse doucement jusqu'au sol.

– Ne recommence jamais ça, le prévient Morphage !

Elle se frotte les fesses et retourne à son chaudron en continuant de maugréer contre son corbeau.

Merlin se retient d'éclater de rire. Il contemple le pauvre oiseau dont les ailes forment des angles inhabituels : pour la première fois, il a réussi un sort. Un sort de niveau 2 ! Mais à peine goûte-t-il aux joies de la réussite que l'envie de récidiver l'envahit. Et puis, il doit empêcher cette sorcière de le cuisiner !

– Folie furieuse et fureur frénétique, chuchote-t-il à nouveau en dirigeant cette fois sa main vers le chat, aliénus dédésaxus... Lunatique maboul et zinzin !

Les oreilles du félin s'aplatissent.

– Maarrrwoôô ! miaule-t-il bizarrement.

Morphage n'a pas le temps de lui dire de se taire. Pliée en deux au-dessus de son chaudron, elle sent les griffes du matou se planter dans ses chairs arrière. La douleur l'irradie et elle pousse un cri terrible. L'instant d'après, elle saisit le chat par la peau du dos et l'arrache de son fondement avec une partie de sa robe !

– Maudit greffier ! enrage-t-elle. Tu n'auras pas assez de tes neuf vies pour regretter ton geste !

Le chat traverse la pièce pour rejoindre le corbeau, prouvant, à l'arrivée, qu'un matou qui se déplace dans les airs à vive allure ne retombe pas nécessairement sur ses pattes.

Mais la sorcière n'en reste pas là et se retourne vers son prisonnier. Malgré son vêtement déchiré qui laisse entrevoir sa culotte à fleurs, Morphage demeure terrifiante. Elle fixe Merlin, l'œil vengeur et la bouche cruelle. Derrière ses barreaux, ce dernier prend la mine innocente de celui qui veut bien faire comprendre qu'il n'est responsable de rien, quoi qu'il ait pu se passer.

– Ton grimoire, rumine Morphage. Donne-moi ton grimoire, sale petit morveux !

– Jamais ! s'exclame Merlin en cachant le précieux livre dans son dos.

La sorcière attrape un tisonnier fumant près de la cheminée et s'avance vers lui.

– Tenez ! Le voilà ! abdique Merlin.

Et il lance le livre entre les barreaux.

CHAPITRE 7
SUR LA PISTE DE MERLIN

– Voici le jardin des Moines, annonce Lancelot. Mais il n'y a personne.

– C'est un endroit très romantique, note Guenièvre en se cachant derrière une pierre.

– J'aurais pourtant juré que Merlin serait ici, soupire Viviane.

– Bon, ben, il n'y est pas, dit Arthur. Rentrons, maintenant. Les parents n'aiment pas que l'on s'éloigne du village.

– Avoue plutôt que tu as peur, se moque sa sœur. Mais ne t'inquiète pas, Lancelot est là pour nous protéger.

Le jeune chevalier gonfle son torse et affiche un air comblé.

– Me voilà rassuré, marmonne Arthur avec une mine dépitée.

– Merlin est bien venu ici ! s'exclame Viviane.

Elle désigne une purée de fraise de laquelle émerge une plume.

– Tu penses qu'il a mal digéré quelque chose ? grimace Guenièvre.

– Mais non. Il a encore essayé un sort, explique Viviane. Hé ! Là-bas !

Elle s'enfonce un peu plus loin dans la forêt, en direction d'un buisson de houx aux allures de glace fondue vanille pistache.

– Revieeens ! supplie Arthur. Il faut rentrer !

Viviane n'écoute pas le jeune roi. Elle continue d'avancer dans la forêt, encouragée par Lancelot, lui-même accompagné par Guenièvre. Le pauvre Arthur leur emboîte le pas en jetant des regards inquiets de chaque côté du sentier.

Les traces laissées par Merlin ne manquent pas, et la petite bande suit facilement les indices colorés, appréciant au passage l'obstination de leur camarade.

Les quatre enfants s'enfoncent ainsi dans l'épaisse forêt et rejoignent bientôt la clairière où ils découvrent le manoir de Morphage.

– Tu crois que Merlin pourrait se trouver dans cette maison biscornue ? demande Guenièvre.

– La seule façon d'en être sûrs, chuchote Viviane, c'est d'aller voir !

– Non, il n'est pas là ! affirme Arthur. Partons vite !

– Il faut traverser la clairière à quatre pattes, indique Lancelot. Ensuite, nous nous glisserons sous les fenêtres. J'en aperçois une qui est entrouverte.

– Bonne idée, approuve Viviane. Passe en premier.

Devant la mine admirative de Guenièvre, l'air satisfait de Viviane, et le regard affligé d'Arthur, Lancelot se lance à l'assaut du manoir. Il se faufile dans les herbes, laissant juste dépasser son postérieur de la végétation, et il rejoint sans encombre l'étrange demeure. Il agrippe le rebord crasseux de la fenêtre restée entrouverte et se hisse doucement afin de voir à l'intérieur.

– Morphage ! murmure-t-il d'une voix étranglée.

La sorcière vient de sortir Merlin de sa cage. Elle le traîne vers un chaudron bouillonnant ! Le pauvre se débat de son mieux, mais il n'est plus qu'à quelques enjambées de la marmite fatale.

– Elle va le cuire ! panique Lancelot.

À l'autre bout de la clairière, Viviane, Guenièvre et Arthur observent le chevalier. Ils le voient monter sur le rebord de la fenêtre et envoyer un coup de pied dans le battant.

– I… Il est devenu fou ! gémit Arthur.

– Quel héros ! s'extasie Guenièvre.

– Merlin est en danger ! devine Viviane. Allons l'aider !

Ils s'engagent à leur tour dans la clairière. Lancelot, lui, emporté par son élan de bravoure, s'élance du rebord de la fenêtre à présent ouverte et saute à l'intérieur du manoir en poussant un cri sauvage. Il atterrit dans la pièce sur quelque chose de mou et plaintif. Morphage s'est s'arrêtée devant son chaudron, le sourcil interrogatif, et Merlin retrouve un peu d'espoir.

– Lâche-le ou il t'en cuira ! ordonne Lancelot en résistant à l'envie de baisser les yeux pour regarder sur quoi il marche. Tu ne me fais pas peur, vieille sorcière !

Et il s'avance d'un pas qu'il espère héroïque.

– Pauvre imbécile, rumine Morphage en lui lançant un regard furibond.

Elle repousse Merlin dans sa cage et se tourne vers Lancelot. Celui-ci éprouve le désagréable soupçon que cette sorcière est plus forte que lui.

CHAPITRE 8
LES ENNUIS CONTINUENT !

Le chat de Morphage est le premier à retrouver ses esprits. Quelque chose lui chatouille le museau et il relève péniblement la tête.

– Une plume, songe-t-il en louchant. Qu'est-ce que cette plume fiche sous mon nez ?

Il n'a qu'un vague souvenir de ce qui s'est passé, et constate avec étonnement que cette plume noire est encore attachée à son propriétaire. Hélas, au moment où la mémoire lui revient, deux pieds lui écrasent la

tête ! La plume lui rentre carrément dans le museau et il entend une voix d'enfant qui se voudrait impressionnante :

– Lâche-le ou il t'en cuira !

Il tente un miaulement ridicule :

– 'iou.

– Tu ne me fais pas peur, vieille sorcière ! reprend l'enfant en sautant sur place.

– 'iou ! 'iou ! 'iou !

Puis il s'écarte enfin, au grand bonheur du chat. La pièce ressemble à l'intérieur d'un bateau pris dans une tempête. Au milieu de ce tangage, il distingue sa maîtresse qui poursuit un chevalier miniature ! La scène se stabilise un peu. Le chat retrouve un semblant de lucidité et songe qu'il ferait bien d'aider Morphage s'il ne veut pas s'attirer encore sa colère. Il se redresse avec précaution pendant que le corbeau lâche un croassement misérable. Mais deux pieds l'écrasent à nouveau ! Sa tête replonge dans les plumes de l'oiseau !

– À l'attaque ! crie Viviane.

Elle vient de sauter de la fenêtre et d'atterrir à son tour dans la pièce. Elle avance d'un pas et Guenièvre

la rejoint, puis Arthur, chacun piétinant allègrement le matou et le corbeau !

– Je m'occupe de vous tout de suite, promet Morphage à l'intention des trois nouveaux arrivants. Je termine juste celui-ci.

Elle désigne le pauvre Lancelot, coincé entre deux étagères chargées de fioles et de bocaux douteux.

– N'approchez pas ! panique le chevalier en saisissant le pommeau de son épée.

– Non ! crie Viviane. Ne fais pas ça !

Terrifié par Morphage, Lancelot ne l'entend pas et sort son épée.

– Confisqué ! s'exclame la sorcière en lui arrachant l'arme des mains. Ha ! Ha ! Tu espères peut-être m'impressionner avec ça ?

Le rire de Morphage ne dure pas longtemps. L'épée guide son bras et s'abat une première fois sur sa tête ! Puis une deuxième, et une troisième !

– Aïe ! gémit la sorcière. Ouille ! Ouille !

L'épée ensorcelée par Merlin continue de bosseler son crâne, sans pitié et sans relâche. Lancelot en profite pour se dégager. Viviane attrape les clés de la cage et libère son cousin, Guenièvre récupère le grimoire posé sur la table, et Arthur, déjà remonté sur la fenêtre, supplie ses camarades de le rejoindre au plus vite.

Pendant ce temps, Morphage s'écroule, vaincue par l'épée qui flotte dans les airs et se range à la ceinture de Lancelot.

– Finalement, il n'est pas mal, ce sort, apprécie le jeune chevalier.

– Tu reconnais enfin mes mérites, lui fait remarquer Merlin.

– Venez viiiite ! s'impatiente Arthur.

– On pourrait fouiller le manoir et trouver quelques potions intéressantes, propose Merlin.

– On n'a pas de temps à perdre, lui lance sévèrement Viviane. Ma mère doit arriver, et à cause de toi, ton père risque d'avoir de gros ennuis. Nous devons lui rapporter le grimoire d'urgence.

– Ouiiii ! D'urgence ! trépigne Arthur. Veneeez !

Le chat tente bien de fuir, de se traîner hors du passage… mais encore à moitié étourdi, il est trop lent. Guenièvre, Viviane, Merlin et Lancelot le piétinent avant de remonter sur la fenêtre.

Puis les enfants prennent la fuite en riant, persuadés qu'ils viennent de remporter la partie.

C'est mal connaître leur adversaire.

CHAPITRE 9

CONTRE-ATTAQUE

Morphage rouvre déjà un œil. Elle jurerait qu'un petit malin s'est glissé dans son crâne et qu'il s'amuse à tout bousculer à coups de pied. Mais, malgré la douleur, son cerveau fonctionne encore.

– Vous allez me le payer, bande de sales petits rats !

Elle se relève en prenant appui sur ses étagères. Elle n'est pas longue à y dégotter une fiole à la couleur vénéneuse et au contenu discutable. Un œil monte et descend dans le liquide visqueux et d'autres ingrédients, de la taille d'honnêtes vers de terre plus vivants que morts, se collent aux parois du verre. Morphage agite le tout d'un geste énergique, puis se dirige vers la fenêtre. Elle attrape son chat par la peau du cou et repousse son corbeau du pied.

– Miaou ? gémit le matou.

Le visage de sa maîtresse, chargé de haine, ne présage rien de bon. Ce pressentiment se confirme quand la sorcière lui renverse la tête et introduit la fiole dans sa gueule ! Le chat ouvre de grands yeux épouvantés pendant que le liquide huileux descend dans sa gorge.

Il sent distinctement une forme ronde glisser dans son gosier, accompagnée de petites choses frétillantes qu'il refuse d'imaginer.

Morphage retire la fiole vide de la gueule de son matou et dépose ce dernier sur le rebord de la fenêtre. Il titube et affiche un air hagard. Puis ses oreilles s'agrandissent. Sa queue se dresse et double de volume. Son corps se gonfle comme un ballon de baudruche pendant que ses yeux s'agitent dans tous les sens.

Morphage observe son chat avec satisfaction. Quand la potion l'aura entièrement métamorphosé, sa vengeance pourra commencer !

Plus loin, dans la forêt, les enfants se réjouissent de leur victoire.

– Ha ! Ha ! On lui a réglé son compte à cette sorcière ! se vante Arthur. Elle n'était vraiment pas de taille !

– Il m'a semblé que tu étais resté près de la fenêtre, remarque Guenièvre.

– J'attendais qu'elle passe devant moi pour lui sauter dessus, précise Arthur. Et là, je l'aveuglais en lui enfonçant mes doigts dans les yeux, ensuite, je lui envoyais un coup de poing sur la nuque, et...

– J'avais plutôt l'impression que tu étais pressé de repartir, le coupe Merlin.

– Moi ? s'offusque Arthur. Tu plaisantes ? Et d'abord, si on ne t'avait pas secouru, tu serais dans le chaudron de Morphage en ce moment. Alors, tais-toi !

– N'empêche, intervient Lancelot, tu étais le premier à remonter sur la fenêtre !

– Je me bats avec ma tête, rétorque le jeune roi. Il faut savoir sonner la retraite au bon moment !

– Cessez de vous chamailler, lance Viviane. Le principal, c'est d'avoir libéré Merlin et récupéré le grimoire.

– Ouais ! On est trop forts ! clame Arthur. Hourra !

La joyeuse troupe continue de déambuler à travers la forêt, en direction du village. Lancelot entonne un chant glorieux, repris en chœur par ses amis :

« Courte messe et longue aventure
Frottons, astiquons les armures
Et montrons fièrement nos blessures
Avant d'tuer toutes les créatures ! »

Lancelot s'apprête à commencer le second couplet, quand Guenièvre lui serre le bras.

– J'ai vu quelque chose ! dit-elle en pointant le doigt vers un épais fourré. Une grande ombre noire !

– U... Une ombre noire ! tremble Arthur.

– Pas de panique, le rassure Lancelot. Guenièvre a sûrement rêvé.

Un craquement sourd vient contredire cette supposition.

– Moi aussi ! s'écrie Arthur. Je l'ai vue !

Il se recroqueville de terreur, cachant son visage avec ses mains… avant de risquer un œil entre ses doigts. Sur le côté du chemin, les branches s'écartent et une forme apparaît ! Une forme haute et sombre, large comme un ours, et percée de deux yeux chatoyants où couve la haine. Elle dévisage les cinq enfants pétrifiés de peur.

– L… Le chat de Morphage, bafouille Merlin.

– Marrrrrow ! grogne l'autre avec une voix à faire trembler les arbres.

– Ce n'est pas des façons normales pour un chat ! gémit Arthur.

Le monstre sort ses griffes, aussi tranchantes et brillantes qu'une collection de faucilles, et il s'avance au milieu du chemin.

– Tu disais qu'il fallait savoir sonner la retraite ? chuchote Lancelot à Arthur. Ben, là, je crois que c'est le moment ! SAUVE QUI PEUT !

Le chevalier, suivi par ses amis, quitte le sentier et détale à travers la forêt.

– MÂÂÂRRROW ! rugit le monstre.

Il s'élance à leur poursuite, bousculant les arbres au passage, brisant les branches, écrasant les buissons.

Rien ne semble pouvoir l'arrêter ! Il garde les yeux fixés sur ses proies qui zigzaguent entre les troncs. Ce sont eux qui l'ont piétiné et, parole de chat noir, le malheur va s'abattre sur ces gamins !

CHAPITRE 10

ROULÉ-BOULÉ

– Il nous rattra-a-a-ape ! sanglote Arthur. Il va nous dévore-e-e-er !

– Ne te retourne pas ! lui conseille Lancelot.

– Par ici ! indique Viviane.

Elle court vers un vieil arbre creux couché sur le sol et fait signe aux autres de la suivre.

– On est sauvés ! se réjouit Merlin.

Il disparaît avec sa cousine dans le tronc, vite rejoint par Lancelot, Guenièvre et Arthur.

Les cinq amis, hors d'haleine, se retrouvent serrés au milieu de l'arbre creux.

Krt
SCRAT
SRATCH!

Leurs battements de cœur résonnent dans leurs oreilles comme des coups de tambour. À l'extérieur, les pas du monstre se rapprochent.

– Ne bougez pas, chuchote Viviane.

Le chat de Morphage, même transformé en créature dévastatrice, demeure pourvu d'un odorat infaillible. Il fait le tour de l'arbre mort et place son œil à une extrémité. Ils sont bien là.

Il introduit sa patte dans le tronc creux, mais constate qu'il ne peut atteindre ses proies. Il recommence l'opération à l'autre bout, sans plus de résultat.

Les ricanements qui résonnent à l'intérieur achèvent de l'agacer et il envoie deux coups de griffe qui font sauter des morceaux d'écorce. C'est cependant insuffisant pour éventrer ce tronc.

– Tu perds ton temps ! lui crie Lancelot. Nous ne sortirons pas, espèce de dégénéré plein de poils !

– Chut ! ordonne Viviane. Inutile de le provoquer.

– Ben, quoi ? répond le chevalier. Tant qu'on est ici, il ne peut rien nous arriver.

– Je l'espère, murmure Viviane.

Elle a raison de rester méfiante car le chat géant n'est

pas stupide. Il pose ses pattes avant sur le tronc et commence à le faire rouler.

– Qu'est-ce qu'il fabrique ? râle Lancelot. Il veut nous faire vomir ?

– S'il continue, il va réussir, prévient Guenièvre.

Mais le plan du matou de Morphage ne se limite pas à rendre les enfants malades. Il roule patiemment le tronc au bord d'un val tout proche. Le terrain s'incline jusqu'à une rivière qui serpente entre des rochers.

Un mince sourire se dessine sous le museau du chat. Il pousse une dernière fois le tronc qui, entraîné par la descente, roule à présent tout seul !

– Aaaaaaaah ! hurlent les enfants à l'intérieur.

Le tronc roule de plus en plus vite, dévale la pente, bondit et rebondit... avant de buter contre un rocher près de la rivière. Sous le choc, le bois mort vole en éclat ! Les enfants, sonnés, se retrouvent assis au milieu des restes de leur cachette.

– Ooooh ! Ma tête ! se plaint Guenièvre.

– Ça tourne ! gémit Arthur en ne contrôlant plus ses yeux.

Lancelot, lui, se remet debout en titubant.

– Relevez-vous ! dit-il. Le monstre arrive !

Le chat descend dans le val avec assurance. À présent, les enfants ne peuvent plus lui échapper. Il en mangera trois ou quatre et rapportera le petit enchanteur à sa maîtresse. Apparemment, elle tient à celui-ci.

– Guenièvre, passe-moi le grimoire, demande Merlin. Je vais lui jeter un sort.

– T… Tu es sûr que c'est une bonne idée ?

– Non ! intervient Viviane en brandissant sa baguette. Laisse-moi faire !

Encore chancelante, elle agite sa baguette vers le chat géant. Elle décrit une succession de huit, avant de prononcer la formule magique :

Trois jolis papillons apparaissent au bout de sa baguette. Guenièvre applaudit avec un réel intérêt.

– Bravo, la félicite-t-elle. C'est ta mère qui t'a appris ça ?

– Ce n'est pas le moment de faire un spectacle de magie ! panique Arthur.

Le monstre n'est plus qu'à quelques mètres d'eux. Ses griffes luisent dans le soleil comme des lames de couteau fraîchement affûtées.

Guenièvre en profite pour se jeter dans les bras de Lancelot.

CHAPITRE 11
MATONS LE MATOU !

– Il est trop tard pour essayer un sort, regrette Merlin. Mais il y a peut-être une solution… Sautez dans la rivière !

Ses trois amis et sa cousine le regardent entrer dans l'eau, sa robe retroussée jusqu'aux genoux, convaincus qu'il a perdu la tête.

– MAAARRROWW ! gronde le monstre en fonçant vers eux la gueule ouverte.

– Merlin a raison ! s'écrie alors Viviane. Tous dans l'eau !

Les enfants échappent de peu aux pattes griffues du chat géant et plongent dans la rivière, tête la première.

– Arrosez-le ! crie Merlin.

Ce monstre terrifiant reste un chat, et comme tous les matous, il a une sainte horreur de l'eau. Il rugit, il crache, il se hérisse, mais il est contraint de reculer !

Malgré toute sa bonne volonté, et son indéniable goût pour le crime, il doit se rendre à l'évidence : ces sales gamins ne se lasseront pas de l'asperger ! Il tente par tous les moyens de les faire sortir de la rivière, mais il doit finalement s'avouer vaincu.

Et comme un malheur n'arrive jamais seul, les effets de la potion que sa maîtresse l'a obligé à avaler commencent à se dissiper.

– Hé ! Le monstre rapetisse ! se réjouit Viviane.

Au départ, le chat pense plutôt que le paysage grandit autour de lui, et que les enfants deviennent des géants. Mais ça ne change rien : les proportions reprennent un aspect habituel et il n'a plus rien de menaçant ! À présent, il préférerait que ces gamins restent dans la rivière !

– Ainsi, tu voulais nous manger ? demande Lancelot en s'avançant avec les poings serrés.

Le chat, les oreilles aplaties, se retourne d'un bond et déguerpit à toute vitesse !

– Que je ne te revoie pas par ici ! lui lance le jeune chevalier.

– Lancelot, tu es vraiment trop courageux, s'émerveille Guenièvre en le rejoignant.

Merlin sort à son tour de la rivière et essore sa robe.

– On va se faire disputer par les parents, s'inquiète Arthur.

– Je pourrais chercher un sort dans le grimoire pour sécher nos vêtements, propose Merlin.

– Hors de question ! s'exclame Viviane.

Elle reprend le précieux livre des mains de Guenièvre et l'agite sous le nez de son cousin.

– Terminés, les sorts ! se fâche-t-elle. Maintenant, on rentre au village et on répare tes bêtises !

– Pfff ! soupire Merlin. Je voulais juste rendre service.

Les cinq enfants se mettent donc en route, leurs culottes mouillées collées aux fesses, ce qui les oblige à adopter une démarche en canard assez ridicule. Heureusement, personne n'est là pour en rire, et, arrivés au village, ils longent prudemment les premières maisons.

– La voie est libre, chuchote Viviane.

Les enfants contournent le luxueux manoir des parents d'Arthur et de Guenièvre, puis ils remontent la ruelle qui conduit à la forge du père de Lancelot et bifurquent à droite, en direction du magasin de Monsieur et Madame Camelot. Adossés au mur, ils aperçoivent le mage Hellan traversant le village d'un pas qui en dit long sur son humeur.

– Impossible de remettre le grimoire en place discrètement, se lamente Viviane. Il va falloir tout avouer à mon oncle.

– Houlà ! s'exclame Arthur. Je crois qu'il est l'heure de rentrer. Tu viens, Guenièvre ?

– Stop, le retient Merlin. Et toi, Viviane, écoute-moi. Il y a un sort dans ce grimoire qui peut nous tirer d'affaire.

– Te tirer d'affaire, corrige Arthur. On n'y est pour rien, nous !

– Sauf si je raconte que vous m'avez obligé à voler le grimoire pour rester dans la bande, lance Merlin sur le ton de celui qui est prêt à tout.

– Tu ne ferais pas ça ! s'offusque Viviane.

– Il le fera, affirme Lancelot. Donne-lui le grimoire.

– Merci, sourit Merlin en reprenant le livre.

Il tourne quelques pages et pose un doigt autoritaire sur l'une d'elles.

– C'est là, annonce-t-il. « Invisibilité temporaire, niveau 3 ».

– Niveau 3, répète Lancelot avec une moue dubitative.

– Voici mon plan, explique Merlin. Je lance le sort sur Viviane, elle disparaît, elle remet le grimoire en place, elle revient, et elle réapparaît.

– Ha ! Ha ! Bien imaginé, approuve sa cousine. Mais tu remplaces Viviane par un autre prénom, enchanteur à la noix !

Guenièvre, Arthur et Lancelot se prennent d'un soudain intérêt pour leurs souliers.

– Bande de lâches, marmonne Merlin.

Dans la boutique, le mage commence à proférer toutes sortes de menaces à l'encontre de Monsieur Camelot.

– Viviane, supplie Merlin. Je ne peux pas me lancer un sort à moi-même ! Si tu veux vraiment aider mon père, fais-moi confiance.

Le mage Hellan rugit de plus belle.

– N... Niveau 3, balbutie Viviane.

– Invisibilité temporaire, lui rappelle Merlin en insistant sur le dernier mot.

– D... D'accord, cède sa cousine. Vas-y. Mais alors applique-toi !

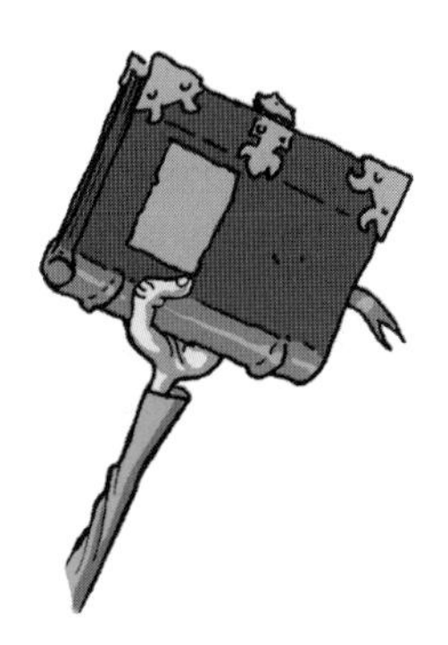

CHAPITRE 12
UN DERNIER PETIT SORT

V... Viviane?
Je suis là!
OUAH! ça a marché!

Merlin se frotte les mains et commence à lire :

– Par les puissances de l'invisible et la transparence du cristal, disparasus dérobus et masqurum camelea... atchoum... CameleaouMonsieur !

Malgré l'éternuement, Viviane disparaît en un éclair !

– Tu es vraiment là ? s'émerveille Merlin en agitant sa main devant lui. Mais oui ! Je te sens !

– Aïe ! se plaint Viviane. Tu viens de me mettre le doigt dans l'œil !

– Oups ! Désolé !

Elle lui arrache le grimoire. Les quatre enfants observent, avec des yeux ronds, le livre qui flotte à présent dans les airs.

Il tourne à l'angle du magasin et entre discrètement dans la boutique, au ras du sol.

Pendant ce temps, le mage Hellan, rouge de colère, dresse une liste d'autorités supérieures à qui il promet de dénoncer Monsieur Camelot. Ce dernier, occupé à se confondre en excuses, ne remarque pas immédiatement le grimoire qui remonte le long du comptoir.

Monsieur Camelot voit alors quelque chose heurter le coude du mage. Quand il baisse les yeux, il découvre ce fameux grimoire qu'il a tant cherché !

– Monsieur Hellan ! s'exclame-t-il en brandissant l'ouvrage. Votre royaume est sauvé ! Et moi aussi !

Le mage écarlate s'arrête, bouche bée. Deux secondes plus tard, les deux hommes tombent dans les bras l'un de l'autre.

– On dirait qu'elle a réussi ! se réjouit Lancelot.

– Mais où est-elle, maintenant ? se demande Merlin.

– Derrière toi, crétin ! lui répond la voix de Viviane. Combien de temps je vais encore rester invisible ?

– Oh, pas très longtemps, affirme-t-il. Non, non, pas longtemps.

– Tu es sûr ? doute Viviane. Ma mère sera bientôt ici et, pour une fois qu'elle me rend visite, ce serait un comble qu'elle ne me voit pas !

Un sifflement strident résonne au-dessus de sa tête. Merlin, Lancelot, Guenièvre et Viviane s'écartent aussitôt.

– Qu'est-ce qui vous prend ? demande Arthur avant qu'une pierre tombée du ciel ne lui dégomme sa couronne.

Pendant que le jeune roi professe moult mots indignes de son âge et de sa condition, Viviane s'empare du message accroché au caillou.

« Ma petite fée chérie. Pour me remercier de l'avoir débarrassé du dragon qui ravageait son château, le roi donne une réception en mon honneur. Les réjouissances dureront quelques jours et tu comprendras qu'il m'est

impossible de m'absenter pour l'instant. Amuse-toi bien avec tes amis. À bientôt. Maman qui t'aime très fort. »

– Un malheur n'arrive jamais seul, chuchote Merlin.

Les pieds de sa cousine sont réapparus. Ses genoux et ses cuisses aussi... mais le phénomène s'est arrêté à sa taille.

– Merlin ! gémit Viviane. Q... Que se passe-t-il ?

– Je vais te faire manger ton chapeau ! menace Viviane.

– Calme-toi, intervient Lancelot. Tu es à moitié visible, ce n'est pas si mal.

– Surtout avec un sort de niveau 3, précise Merlin.

– C'est vrai, approuve le chevalier. Ça aurait pu être pire. Alors, retournons à notre pierre ronde et fêtons notre victoire !

Lancelot tire son épée et la lève vers le ciel :

– Hip, hip, hip... clame-t-il.

Il n'a pas le loisir d'en dire plus. Son épée martèle déjà son crâne ! Il doit faire semblant de s'évanouir pour qu'elle retourne à sa ceinture.

Merlin en profite pour s'éclipser... mais sa cousine ne le laisse pas partir si facilement :

– Tu ne t'en tireras pas comme ça ! promet-elle.

– Certainement pas, ajoute Lancelot en se relevant.

Le pauvre enchanteur s'élance dans les rues de Brocéliande, poursuivi par une paire de jambes et un jeune chevalier couvert de bleus et de bosses. Arthur et Guenièvre les accompagnent en riant, sous les yeux étonnés des habitants du village !

PAK.
PING
PONG
PUNG

À quelques lieues de là, dans son manoir, Morphage accueille son chat avec la gentillesse qui la caractérise. Elle tient fermement le pauvre animal par sa queue et le fait tournoyer au-dessus de sa tête.

– Greffier de malheur ! Chat de cheminée ! Maudit matou à l'haleine puante ! Je vais te passer l'envie de rentrer bredouille !

– Miaouuuuu ! hurle ce dernier.

Ce qui doit signifier, en langage chat, quelque chose comme : « Pitié ! Arrête ça ! »

Peut-être pour exaucer son vœu, mais aussi par pure méchanceté, Morphage lâche prise et le chat traverse la pièce comme une flèche, avant d'entrer en collision avec le corbeau qui se remettait tout juste de ses blessures.

– Grrrrr ! grogne la sorcière en brisant quelques fioles pour passer sa rage sur autre chose. Ces gamins ne perdent rien pour attendre. Je me vengerai ! Oui ! JE ME VENGERAI !

ÇA OUI,
ÇA VA CHAUFFER !

TABLE DES MATIÈRES

L'AUTEUR

Marc Cantin vit au cœur du célèbre et légendaire Pays de Brocéliande. Ce village est un lieu étrange où la magie fait partie du quotidien. On y croise d'ailleurs souvent les habitants avec une baguette à la main !

Le pire, c'est la forêt qui borde cette bourgade. Elle ne compte pour décoration que des guirlandes de brume peuplées d'ombres dansantes. Des cris s'élèvent régulièrement de ces nappes de brouillard, des voix d'ongle frotté contre un tableau noir. Et tout ce qu'on aperçoit dans cette pénombre, se sont des yeux brillants et des sourires narquois.

Franchement, ne mettez jamais les pieds dans cette forêt. Les chemins sont si boueux qu'on s'y enfonce jusqu'aux genoux ! Et quand vous butez dans une racine, vous entendez l'arbre vous traiter d'un nom d'oiseau ! Non, vraiment, Brocéliande n'est pas un endroit fréquentable.

Il faut être fou comme Marc Cantin pour partir chaque jour en quête de nouvelles histoires dans ce sinistre repaire de gargouilles !

LES ILLUSTRATEURS

VINCE
STAN

RETROUVE TES HÉROS PRÉFÉRÉS

« - Je suis là pour que personne n'approche de la fontaine, dit le nain. Seuls les enchanteurs possèdent ce droit.

- Je suis un enchanteur, avance Merlin. Alors, du balai !

- Seulement s'ils sont en âge d'avoir du poil au menton.

- Le même que vos gros sourcils ? se fâche Merlin.

Le visage de Mastoc rougit et sa tête ressemble à une marmite oubliée sur le feu.

- Sauve qui peut ! hurle Merlin. »

Merlin a troqué le secret de la vie éternelle contre une formule magique. Attention aux dégâts, Lancelot va en faire les frais...